¿HAY ALGO MÁS PEQUEÑO QUE UNA MUSARAÑA?

Robert E. Wells

Editorial Juventud

Para mi hijo Jeffrey Robert Wells
y a la memoria de su abuelo, Ernest Amos Wells,
a quien nunca conoció, aunque le hubiese gustado.

Título original: WATH'S SMALLER THAN A PYGMY SHREW?
Texto e ilustraciones © 1995 Robert E. Wells
Publicado originalmente en 1995 por Albert Whitman & Company, Illinois
y por General Publishing Limited, Toronto
© de la traducción española:
EDITORIAL JUVENTUD, 1997
Provença, 101 - 08029 Barcelona
Traducción de Alejandra Devoto
Primera edición, 1997
Depósito legal: B. 36.275-1997
ISBN 84-261-3031-3
Núm. de edición de E. J.: 9.467
Impreso en España - Printed in Spain
Ediprint, Llobregat, 36 - 08291 Ripollet (Barcelona)

¿Cómo de pequeño dirías que es algo realmente pequeño? ¿Acaso es pequeño
lo que te cabe en la mano, como una aceituna? ¿Y un grano de arena?
Sí, ya sé que podríamos decir que estas cosas son pequeñas, pero en este libro
vas a encontrar cosas MUCHÍSIMO más pequeñas... que el ojo no puede ver.
A menos que las mires con un MICROSCOPIO, claro.
Un microscopio óptico normal desvía los rayos luminosos, gracias a su sistema
de lentes, haciendo que los objetos parezcan mayores de lo que realmente son.
Y se llegan a ver cosas que a lo mejor ni sabías que existían. Por ejemplo,
puedes descubrir que en una gota de agua viven cantidad de criaturas diminutas.
Pero ¿sabías que hay infinidad de cosas tan pequeñas que ni siquiera se ven
con un microscopio común? Para verlas, necesitas un instrumento mucho más potente:
un microscopio que utiliza electrones, en lugar de rayos luminosos,
para obtener imágenes. Éste es el tipo de aparato que utilizan muchos científicos.
El mundo de las cosas más pequeñas es casi increíble de tan pequeño y difícil
de imaginar. Pero es muy real. De hecho, tan real como una aceituna.
Todo el mundo sabe que la mente puede crecer pensando en cosas grandes.
¿Te parece que también crecerá pensando en cosas pequeñas?

Esto es una MUSARAÑA.
Desde la punta de la nariz
hasta el extremo de la cola,
mide unos 6 centímetros.

Si fueras una musaraña,
te sentirías sumamente pequeña.
¡Incluso habría SETAS más altas que tú!

Si te encontraras
con un ELEFANTE,
probablemente
te sentirías la cosa
más pequeña
del UNIVERSO.

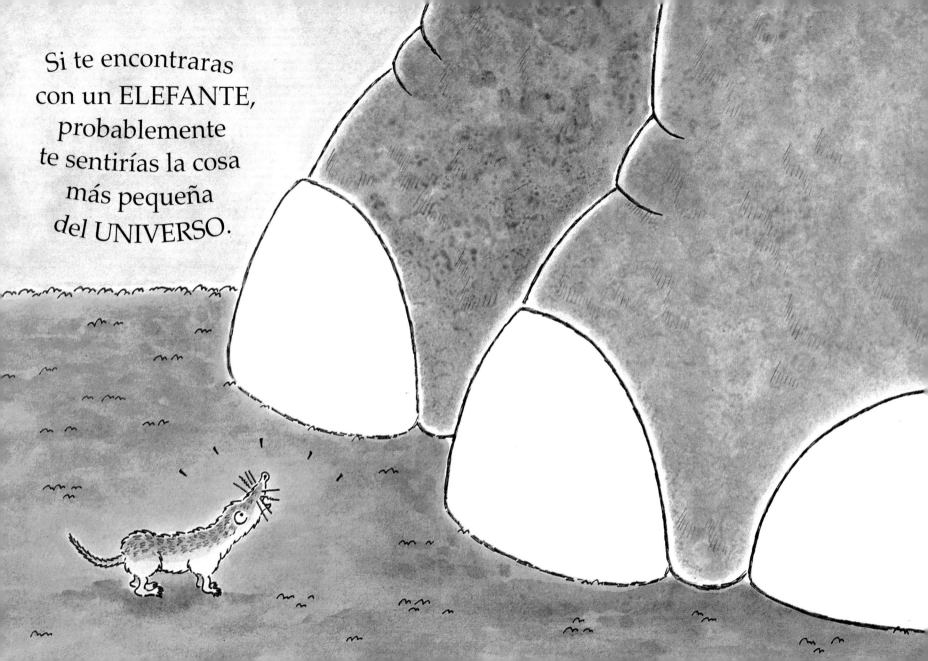

En comparación con un elefante, que es el mayor mamífero terrestre, sin duda parece pequeñísima.

Pero no eres
tan pequeña,
musaraña.

No, en comparación
con una MARIQUITA.

Las mariquitas son una especie de escarabajo, y los escarabajos son una de las tantas clases de insectos que existen.

Las musarañas son insectívoras aunque prefieren no meterse con las mariquitas. ¡Tienen un sabor tan amargo!

Si fueras una mariquita, seguramente
te sentirías terriblemente pequeña.

Una hoja flotando en un charco, para ti sería
como una barca en medio de un lago.

Pero no eres tan pequeña, mariquita.

No, en comparación con las criaturas diminutas que viven
en esas gotas de agua que hay encima de la hoja que te sirve de barca.

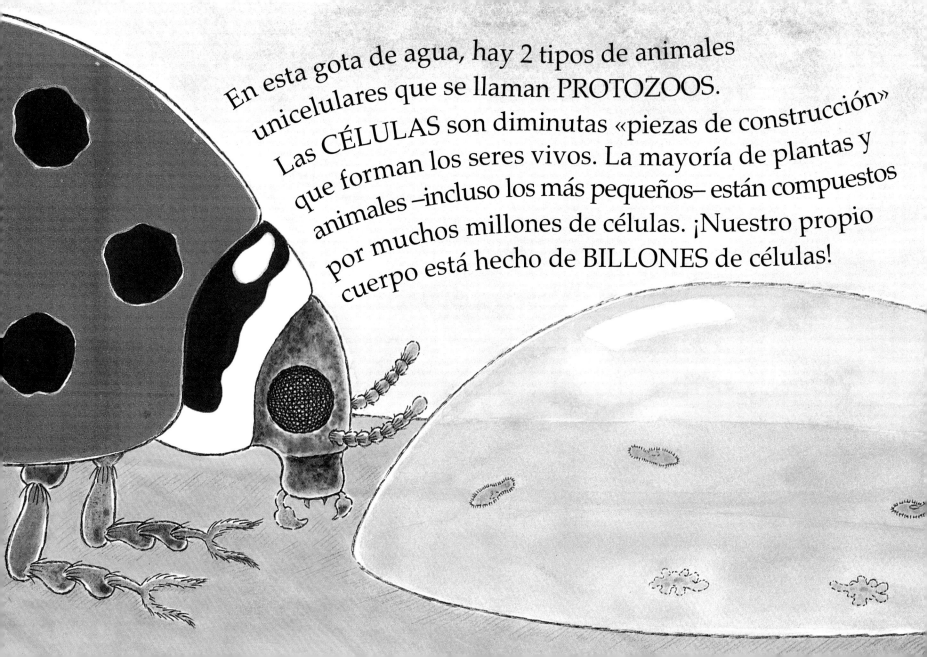

En esta gota de agua, hay 2 tipos de animales unicelulares que se llaman PROTOZOOS.

Las CÉLULAS son diminutas «piezas de construcción» que forman los seres vivos. La mayoría de plantas y animales –incluso los más pequeños– están compuestos por muchos millones de células. ¡Nuestro propio cuerpo está hecho de BILLONES de células!

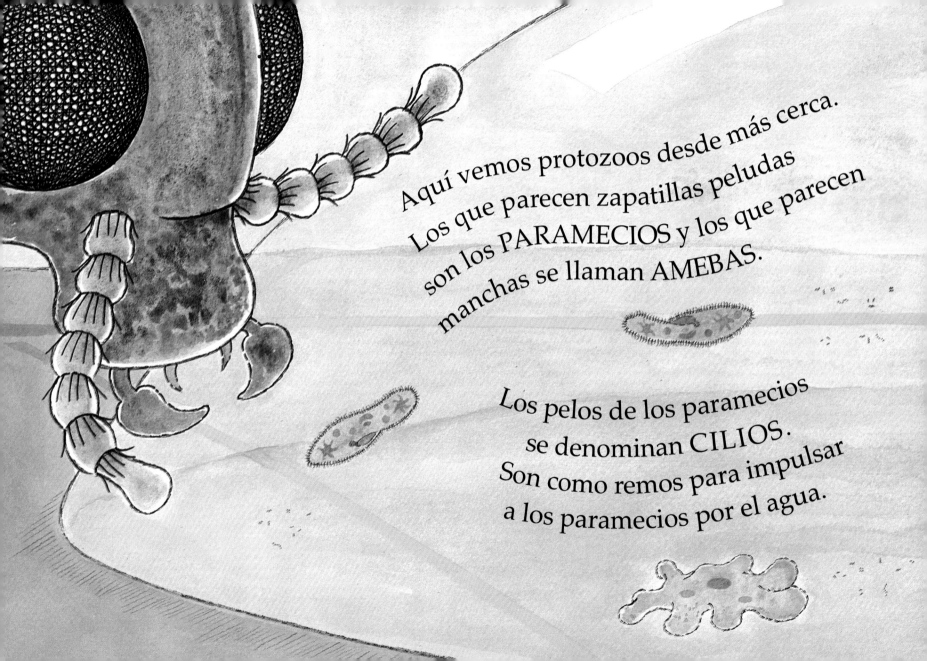

Aquí vemos protozoos desde más cerca.
Los que parecen zapatillas peludas
son los PARAMECIOS y los que parecen
manchas se llaman AMEBAS.

Los pelos de los paramecios
se denominan CILIOS.
Son como remos para impulsar
a los paramecios por el agua.

Las amebas
se desplazan
lentamente:
primero
adelantan
una parte
del cuerpo
y después
se deslizan
hacia esta parte
extendida.

Por esto,
siempre están
cambiando de forma.

Los paramecios
y las amebas
son tan pequeños
que apenas
se ven sin
un microscopio.

Pero ¿sabías
que dentro
de esta gota
de agua viven
cosas MÁS
PEQUEÑAS
todavía?

Sí, un paramecio
sería un
GRAN MONSTRUO
MARINO
en comparación
con las BACTERIAS.
Hay muchos tipos
de bacterias.
Algunas provocan
enfermedades,
pero la mayoría
son inofensivas
para las personas.
De hecho,
en nuestro cuerpo
viven muchas que nos
resultan muy útiles
porque nos ayudan
a digerir los alimentos.

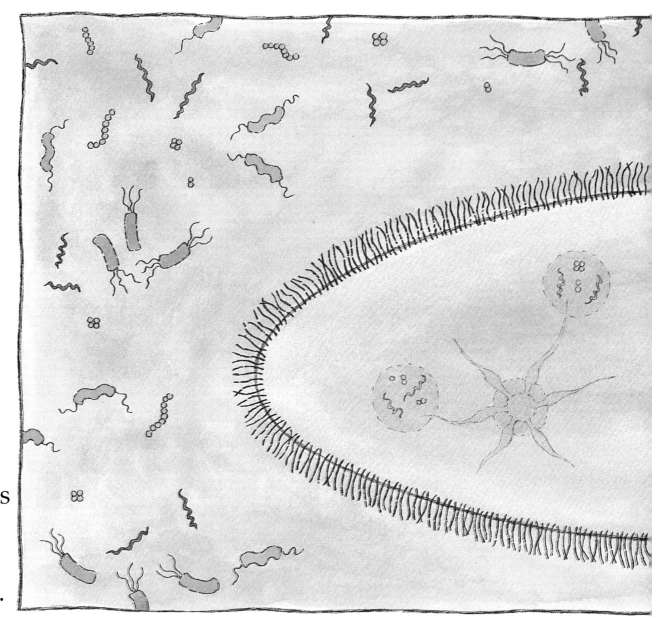

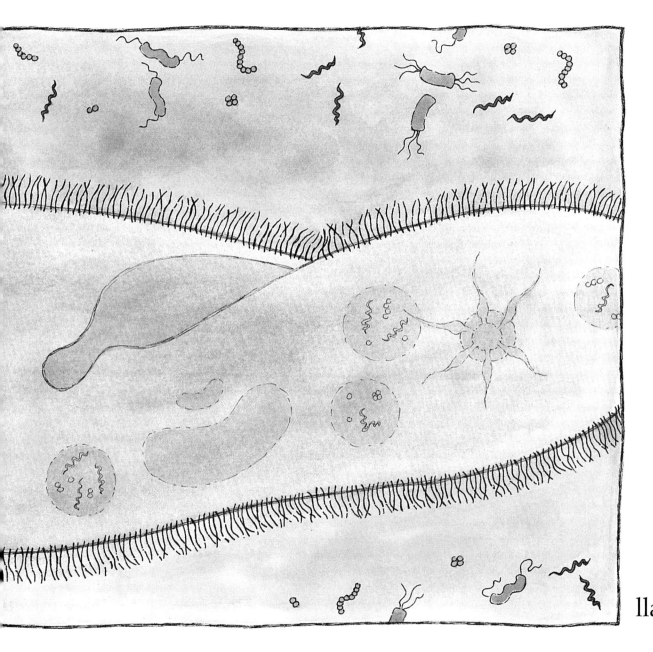

Como los protozoos,
las bacterias
sólo tienen una
célula,
pero una célula
de bacteria
es más pequeña
y más simple.
La mayoría
de las bacterias
son tan minúsculas
que cabrían miles
en el punto de una
i.
Pero incluso
las bacterias están
hechas de elementos
más pequeños,
llamados MOLÉCULAS.

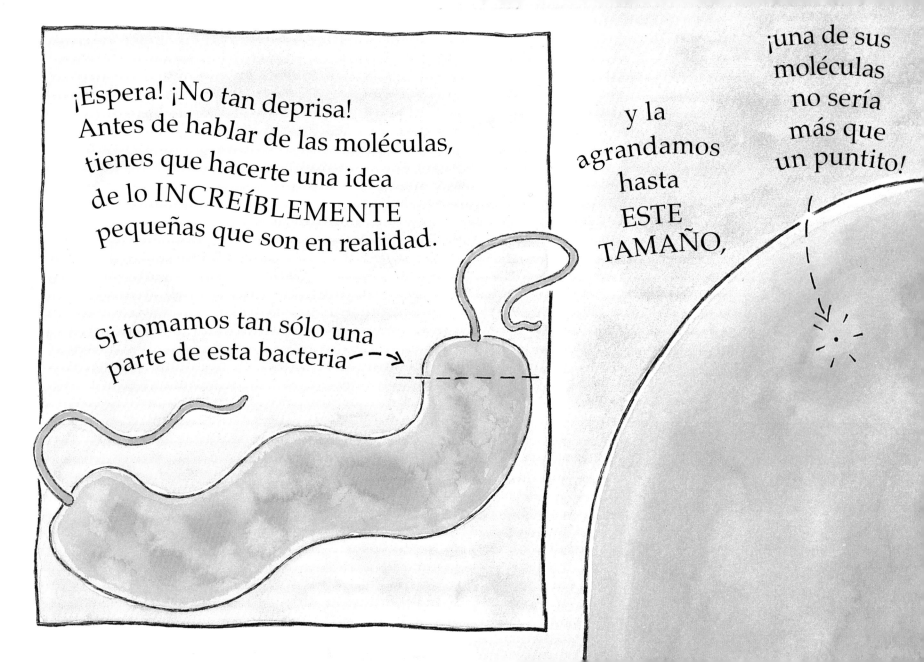

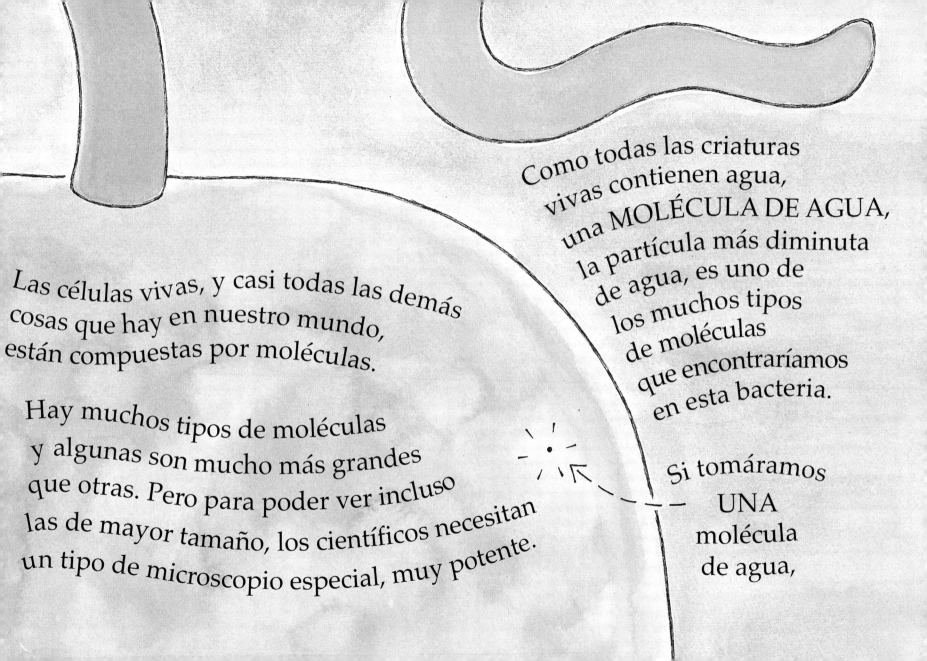

Las células vivas, y casi todas las demás cosas que hay en nuestro mundo, están compuestas por moléculas.

Hay muchos tipos de moléculas y algunas son mucho más grandes que otras. Pero para poder ver incluso las de mayor tamaño, los científicos necesitan un tipo de microscopio especial, muy potente.

Como todas las criaturas vivas contienen agua, una MOLÉCULA DE AGUA, la partícula más diminuta de agua, es uno de los muchos tipos de moléculas que encontraríamos en esta bacteria.

Si tomáramos UNA molécula de agua,

y la **AGRANDÁRAMOS,** quedaría **ALGO ASÍ.**

Las moléculas de agua son de las más pequeñas.
Son tan diminutas que incluso en una bacteria
tan microscópica como ésta cabrían miles de ellas.

Pero ¿qué son esas 3 cosas redondas
que componen la molécula de agua?

¡Son ÁTOMOS!
¡TODAS
las moléculas
están hechas
de átomos!

Hay unos 100 tipos de átomos diferentes y se combinan de distintas maneras para constituir las moléculas.

Si se combinan 2 átomos de HIDRÓGENO con uno más grande de OXÍGENO, hacen una molécula de agua, como ésta.

Pero hasta esos diminutos átomos están compuestos de cosas más pequeñas.

En el átomo hay unas partículas minúsculas, los ELECTRONES,
que giran a la velocidad de la luz, por eso se ven
borrosos, como las aspas de un ventilador.
Los electrones forman la «corteza»
nebulosa de los átomos.

El «punto» central es el NÚCLEO,
que aquí aparece mucho mayor
de lo que es en realidad.

·

Como nuestro universo, el átomo es sobre todo espacio vacío.
Si un átomo fuera del tamaño de una casa, su núcleo
sería más pequeño que un grano de arena.

Así es el núcleo del átomo de oxígeno visto más de cerca. De esta manera, vemos que está compuesto por partículas todavía más diminutas llamadas PROTONES y NEUTRONES.

El número de protones determina el tipo de átomo.

El núcleo de un átomo de oxígeno tiene 8 protones y también 8 neutrones. Los neutrones mantienen unidas las partes que integran el núcleo del átomo.

Los protones y los neutrones están compuestos por partículas todavía más pequeñas, llamadas QUARKS. Cada protón y cada neutrón está formado por 3 quarks.

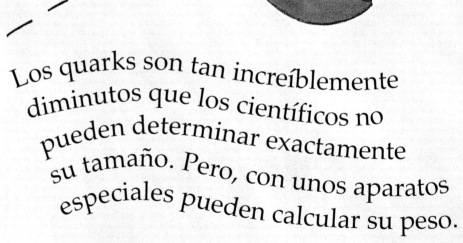

Los quarks son tan increíblemente diminutos que los científicos no pueden determinar exactamente su tamaño. Pero, con unos aparatos especiales pueden calcular su peso.

¿Podemos decir, entonces, que un quark es la partícula MÁS LIGERA que existe?

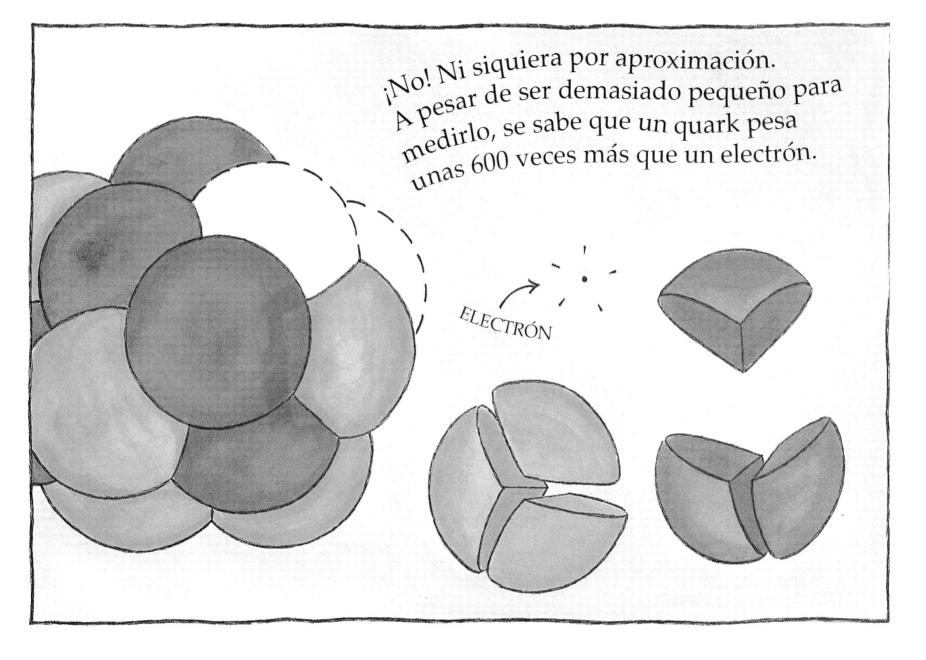

¡No! Ni siquiera por aproximación. A pesar de ser demasiado pequeño para medirlo, se sabe que un quark pesa unas 600 veces más que un electrón.

ELECTRÓN

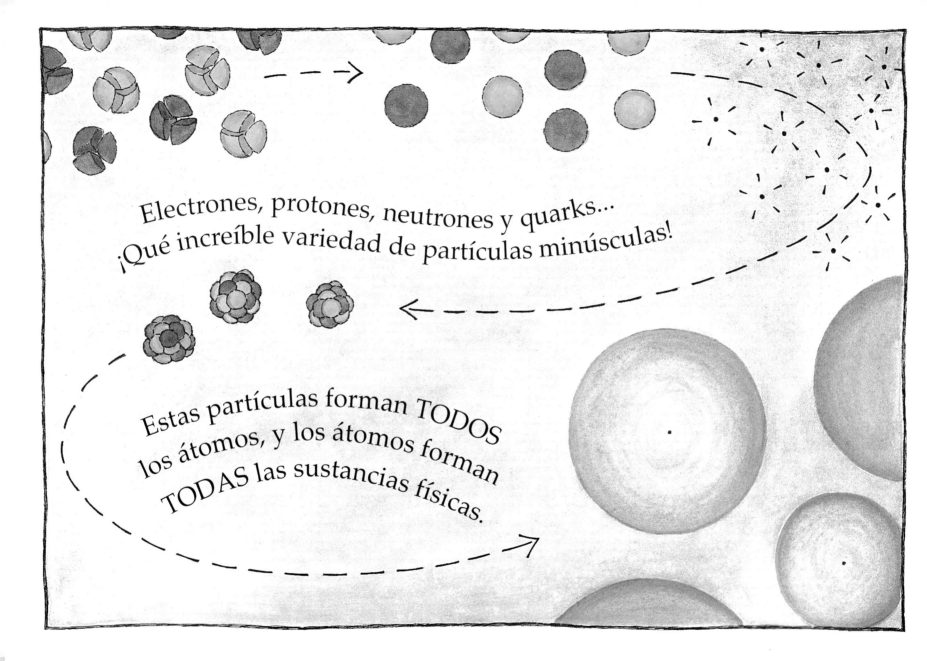

Electrones, protones, neutrones y quarks...
¡Qué increíble variedad de partículas minúsculas!

Estas partículas forman TODOS
los átomos, y los átomos forman
TODAS las sustancias físicas.

TODO LO QUE HACE EL SER HUMANO está compuesto por átomos: los coches y los relojes, los lavabos y los zapatos, las barcas y los balones.

TODO LO QUE HAY EN LA NATURALEZA está compuesto por átomos: los granos de arena y las gotas de agua, los árboles y las flores, las personas, los animales, los prados y las montañas.

¡TODO NUESTRO PLANETA ESTÁ COMPUESTO POR ÁTOMOS!

Y todos los planetas y todas las estrellas, los cometas y los asteroides, las lunas y los meteoritos. De hecho, TODOS LOS CUERPOS FÍSICOS

DEL UNIVERSO ESTÁN COMPUESTOS POR ÁTOMOS. BILLONES y MÁS BILLONES e INFINIDAD DE BILLONES DE ÁTOMOS.

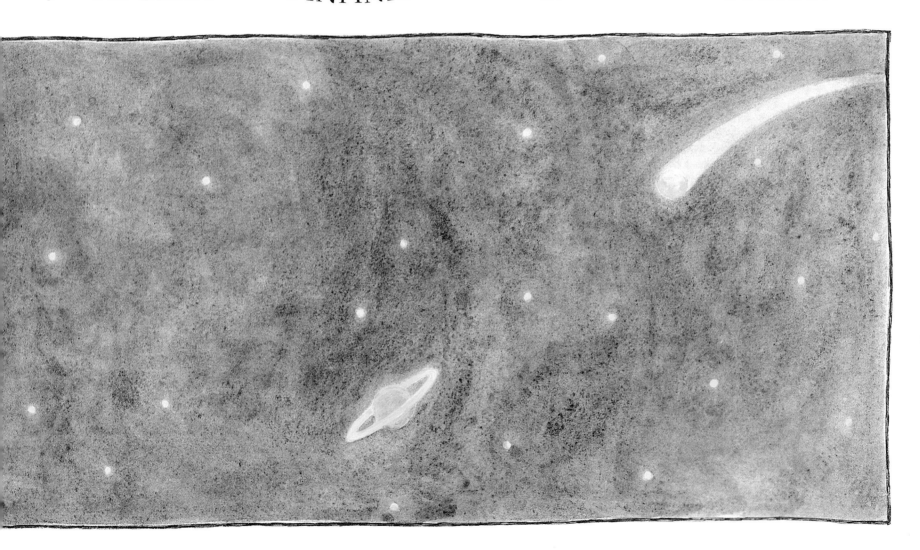

¿Cuántos átomos calculas
que se necesitaron
para hacerte a TI,
musaraña?

Un glosario muy pequeño

átomo compuesto por electrones, neutrones y protones, es el componente más pequeño de cualquier sustancia. En la década de 1980, se diseñó un microscopio especial, gracias al cual los científicos pudieron ver los átomos por primera vez.

bacteria compuesta por una sola célula, la bacteria es uno de los seres vivos más pequeños que existen, y en la tierra están por todas partes. La mayoría de las bacterias son tan pequeñas que apenas se ven con un microscopio óptico. Pero tienen mucha importancia para los demás seres vivos. Fabrican algunas de las vitaminas y los nutrientes que necesitan las plantas y los animales. Sin bacterias, pronto desaparecerían todas las demás formas de vida sobre la tierra.

célula la unidad viva más pequeña de todos los animales y las plantas. Las células tienen la capacidad de reproducirse dividiéndose en dos, y las hay de muchas formas y tamaños distintos. La mayoría de las células son demasiado diminutas y no se ven sin un microscopio óptico.

electrón partícula situada en el átomo, que gira en torno al núcleo a una velocidad aproximada a la de la luz. Se supone que el electrón es una partícula elemental, es decir que no está compuesta por ningún elemento más pequeño.

molécula la unidad más pequeña de cualquier sustancia con todas las características de esta sustancia. Una molécula puede estar formada por un solo átomo, o por miles de ellos.

musaraña es un mamífero tan pequeño que puede pesar como un duro. Se alimenta sobre todo de insectos y lombrices. Vive en campos, bosques, jardines y marismas de todo el mundo, y sobre todo en la región mediterránea.

neutrón partícula que hay dentro del átomo y que se combina con el protón para formar el núcleo. Los neutrones mantienen unidas las partes que integran el núcleo del átomo.

núcleo la parte central del átomo, compuesta por protones y neutrones.

protón partícula que hay dentro del átomo y que se combina con el neutrón para formar el núcleo. El número de protones determina el tipo de átomo.

protozoo animal unicelular que se encuentra en agua salada, agua dulce, el suelo, las plantas y los animales. Muchos protozoos provocan enfermedades en los seres humanos, pero hay algunos que habitan en nuestro cuerpo sin provocar ningún daño.

quarks partículas diminutas que componen los neutrones y los protones que forman el núcleo de los átomos. Se supone que son partículas elementales. Su tamaño, como el de los electrones, es demasiado reducido y no se puede determinar, aunque sí se puede calcular su peso.